PRÁCTICO DE COCINA

SOPAS, VERDURAS Y LEGUMBRES

A la memoria de
José María Gómez

© **Dastin Export, S.L.**
Pol. Ind. Européolis
c/ M n.º 9
28230 Las Rozas - Madrid (España)
Telf.: (+34) 916 375 254
Fax: (+34) 916 361 256
E-Mail: dastinexport@dastin.es
www.dastin.es
ISBN: 84-96410-26-9

IMPRESO EN ESPAÑA - PRINTED IN SPAIN
Depósito Legal: M-25.310/2005

ÍNDICE

COL RELLENA A LA ANDALUZA

 media

 4 personas

45 minutos

bajo

  INGREDIENTES

- col blanca
- 200 g de carne picada
- sal, pimienta y pan rallado
- 100 g de jamón

- 50 g de aceitunas
- aceite y nuez moscada
- 1 picada de almendras
- 1 diente de ajo y 2 huevos

Se toma una col (o dos) bien blanca, se le da un hervor una vez bien lavada y se deja escurrir. Se separan sus hojas con cuidado y, por otra parte, se hace un picadillo de carne de ternera, sazonado de sal, pimienta y nuez moscada. Se pone una pequeña porción de este picadillo sobre cada hoja, añadiendo tiras de jamón y alguna aceituna sevillana deshuesada. Se enrollan cuidadosamente las hojas de col, se rebozan en huevo batido y pan rallado y se fríen en aceite, en la sartén.

Se prepara una picada de almendras en el mortero, junto con un diente de ajo, y se echa, diluido en agua o caldo, sobre las hojas rellenas, alineadas en una cacerola. Se deja que cueza lentamente durante unos diez minutos y se sirve caliente.

PURÉ DE ZANAHORIAS

 media

 4 personas

 20 minutos

 bajo

INGREDIENTES

- 500 g de zanahorias
- 1 cebolla
- aceite
- perejil

Las zanahorias se rascan, se cortan en trocitos y se hierven en agua levemente salada (con la cebolla partida en trozos), cubriéndolas apenas. Cuando estén blandas, se pasan por el tamiz, se les añade un poco de aceite crudo y un poco de perejil picado.

MENESTRA DE VERDURAS

 media

 4 personas

 40 minutos

 bajo

INGREDIENTES

- aceite y manteca
- 100 g de tocino entreverado o jamón
- 1 cebolla
- 4 alcachofitas
- 400 g de guisantes
- 200 g de judías verdes
- 500 g de habas tiernas
- 400 g de patatitas redondas
- 1 calabacín, 1 lechuga
- nuez moscada
- salsa de tomate
- vino blanco
- sal, ajo, perejil y pimienta

En una cazuela al fuego, se rehogan en manteca y aceite (mitad y mitad) el tocino o el jamón cortados a pedacitos. Luego se añade la cebolla picada, ajo y perejil, igualmente picados, y en seguida se agregan las verduras, alcachofitas recortadas y a cuatro trozos, las judías verdes (finas), los guisantes, las habas (desgranadas), las patatitas enteras, el calabacín a trozos. Se añade también una lechuga picada, se rehoga el conjunto, se sazona con sal y pimienta, así como nuez moscada, y se le pone un vasito de vino blanco. Se deja cocer tapado durante un cuarto de hora, se añade un poco de salsa de tomate bien espesa y condimentada, un poco de agua si se viera preciso y se deja que acabe de cocer hasta que esté todo tierno.

SOPA RUSA

 media

 4 personas

 40 minutos (en la olla)

bajo

INGREDIENTES

- 400 g de carne de buey
- zanahorias
- nabos
- 500 g de patatas
- el corazón de un repollo blanco
- 1 cebolla
- 1 clavo de especia

- 2 dientes de ajo
- 1 remolacha roja cocida
- 50 g de crema
- vinagre
- sal
- pimienta

Se hierven dos litros de agua en la olla a presión, con la carne, el hueso y las legumbres cortadas finas, salvo la remolacha. Se añade sal y pimienta. Se cierra la olla y se deja cocer durante cuarenta minutos.

La remolacha, hervida y pelada, se pica bien. En el momento de servir, se agrega a la sopa. Se pone una cucharada sopera de crema fresca en cada plato de sopa y un poco de vinagre. Se vierte la sopa encima.

OLLA GITANA

 media

 4 personas

 2 horas

 bajo

INGREDIENTES

- 250 g de garbanzos
- 250 g de judías blancas
- 300 g de calabaza
- 1 rebanadita de pan
- 1 cebolla y 2 dientes de ajo
- 2 tomates
- aceite, pimentón y azafrán
- pimienta negra
- 1 cucharada de vinagre
- 400 g de judías verdes

Se ponen a cocer en una olla los garbanzos previamente remojados, las judías blancas, el trozo de calabaza y las judías verdes.

En una sartén se fríe una rebanada de pan, se echa en el mortero y en el aceite sobrante se sofríe una cebolla picada, poniéndole, cuando se dore, el tomate, pimentón, azafrán, ajo y pimienta negra. Este sofrito se echa en el mortero sobre el pan, y todo junto se machaca y une a la olla cuando los garbanzos y habichuelas, verdes y blancas, estén a medio cocer.

Se añade sal y una cucharada de vinagre. Se sirve cuando todo está blando. Ha de quedar caldoso.

PURÉ DE LENTEJAS

 media

 4 personas

 2 a 3 horas

 bajo

 **INGREDIENTES**

- 500 g de lentejas
- 2 dientes de ajo
- 1 tomate
- 50 g de tocino

Las lentejas, bien lavadas, se hierven en agua salada hasta que estén bien tiernas, junto con los ajos y el tomate.

Se escurren luego y se pasan por el pasapurés. La pasta que se obtiene vuelve a ponerse al fuego con un poco de agua caliente, o mejor caldo, y se le agrega el tocino, cortado en trocitos, que se han frito previamente con un poco de aceite.

También pueden agregarse costroncitos de pan frito en aceite, si se quiere espesar más.

SOPA LEVANTINA

 media

 4 personas

 60 minutos

 bajo

 INGREDIENTES

- 1 lenguado
- 3 salmonetes
- 1 pescadilla
- 2 cabezas de merluza
- 3 zanahorias
- 1 puerro
- perejil
- azafrán
- ajos
- pimentón
- pimienta blanca molida
- sal

Se cuecen juntos los pescados con las verduras finamente picadas, se retiran y se les sacan todos los filetes y la carne aprovechable, que se coloca en la sopera junto con unos trocitos de pan frito. El resto de pescado se pone en el colador con las verduras, pasando por ello el agua de hervirlos, oprimiendo un poco para que suelten toda la sustancia.

Los ajos, el perejil y el azafrán se machacan en el mortero y se agregan a la sopa, que se sazona con sal, pimienta molida y un poco de pimentón.

POTAJE DE VIGILIA

 media

 4 personas

 3 horas

 bajo

INGREDIENTES

- 400 g de garbanzos
- 600 g de espinacas
- 1 cebolla, 2 tomates y pan
- pimentón, aceite y vinagre
- 3 dientes de ajo y azafrán
- 25 g de piñones
- 1 huevo duro y perejil
- 4 patatas grandes

Se hierven los garbanzos puestos antes en remojo y, cuando estén a medio cocer, se les añaden las espinacas bien lavadas y unas patatas cortadas en trozos. Se fríe una rebanadita de pan en aceite, se retira el pan y en el mismo aceite, que será abundante, se fríen la cebolla picada y los tomates, agregándoles pimentón. Se deposita en una olla, añadiendo a esto un machacado de ajos, piñones, perejil, azafrán, el pan frito que se apartó mojado en vinagre y un huevo duro. Se diluye con el agua de cocer los garbanzos, se agregan éstos, las patatas y las espinacas, escurridas; se comprueba la sal y se agrega más o menos caldo de los garbanzos, hasta obtener los platos de potaje requeridos.

REPOLLO CON TOCINO AHUMADO

 media

 4 personas

45 minutos

bajo

INGREDIENTES

- 1 repollo de 1 kg
- 100 g de tocino ahumado
- 1 zanahoria
- 1 cebolla
- sal

- pimienta
- laurel
- tomillo
- perejil

Se le quitan las primeras hojas al repollo, se lava se escalda y se pone agua a hervir en la olla a presión Cuando hierva se echa en ella el repollo, se tapa y se deja cocer cinco minutos. Se escurre el repollo.

En la olla, limpia y vacía, se pone el repollo corta do en trozos y el tocino cortado en dados, la zanahoria y la cebolla cortadas en rodajas, el laurel, tomillo y un ramita de perejil. Se moja el conjunto con un vasit pequeño de agua, se pone sal y pimienta, se cierra l olla y se deja que cueza la col cuarenta minutos.

CALDEIRADA

 media

 4 personas

20 minutos.
Maceración:
90 minutos

bajo

 INGREDIENTES

- 250 g de merluza
- 250 g de rape
- 250 g de rata de mar
- 200 g de mero
- 200 g de polla de mar

- aceite, harina y ajos
- perejil, laurel y sal
- pimienta y vinagre
- 1 cebolla

Se limpia bien el pescado, se le quitan las cabezas y escamas y se corta en trozos regulares. Éstos se colocan en una cacerola con aceite, harina y la cebolla finamente picada, los ajos, el perejil picado y una hoja de laurel. Se deja en maceración durante hora y media y se añade luego litro y medio de agua fría; se sazona con sal y pimienta y se cuece a fuego vivo durante unos veinte minutos.

Se sirve el pescado en una fuente, y el caldo, colado, se echa en una sopera, adicionándole un chorro de vinagre sobre el pan cortado en rebanaditas finas y tostado en el horno.

COCIDO CASTELLANO

 media

 4 personas

 3 horas

 bajo

INGREDIENTES

- 400 g de garbanzos remojados
- 200 g de carne de ternera
- 1 trozo de gallina
- 1 trozo de jamón (o hueso de jamón)
- chorizo
- 1 col
- 1 cebolleta
- unas patatas y pan tostado

Se llena una olla de agua, y cuando hierva se ponen los garbanzos remojados la noche anterior. Se deja que den un hervor y, procurando que no dejen de hervir, se va añadiendo la carne bien lavada, la gallina y el jamón. Se deja cocer durante tres horas, y media hora antes de terminar se añade un poco de sal y la cebolleta. La col, las patatas y el chorizo se cocerán aparte, en otra cacerola.

En el momento de servir el cocido, se echará el caldo, colado, en la sopera, sobre pan tostado.

El chorizo, la carne, la gallina y el jamón se servirán en una fuente; y en otra se pondrán los garbanzos, las patatas y la col.

ACELGAS EN SALSA

 media

 4 personas

 60 minutos

 bajo

INGREDIENTES

- 1 kg de acelgas
- 3 cucharadas de aceite
- 1 cucharada de harina
- medio limón
- sal

Se pone aceite en una sartén y, cuando esté caliente, se le echan las hojas de acelgas, cortadas en trocitos pequeños, después de lavarlas bien en abundante agua clara. Se deja rehogar unos momentos y se añade un poco de agua (que cubra) y sal. Se deja cocer durante cuarenta minutos.

En una cacerola aparte se prepara una salsita con aceite, la harina y un poco de agua tibia; se deshace bien y se deja hervir unos cinco minutos. Se le agregan entonces las acelgas y se deja cocer todo junto unos diez minutos más. Se riega con el zumo de medio limón y se sirve.

ALCACHOFAS AL VAPOR

 media

 4 personas

 12 minutos

 bajo

INGREDIENTES

■ 8 alcachofas   ■ sal
■ agua

Se ponen a hervir dos vasos de agua salada en la olla.

Las alcachofas se recortan un poco, se les quita las primeras hojas y se cortan en dos a lo largo. Estos trozos se ponen en la cesta de la olla «sin que toquen el agua». Se cierra herméticamente y se cuecen doce minutos.

Se ponen a la mesa con una salsa vinagreta.

SOPA DE FIDEOS CON LECHE

 media

 4 personas

 8 o 10 minutos

 bajo

INGREDIENTES

- 1 l de leche
- 100 g de fideos
- sal

Se hierve la leche y se le añade sal. Se incorporan los fideos, cociéndolos durante unos minutos. Se apartan del fuego y se dejan descansar unos segundos antes de servir la sopa.

POTAJE DE JUDÍAS

 media   4 personas   120 minutos   bajo

INGREDIENTES

- 500 g de judías blancas
- 2 dientes de ajo
- 1 cebolla grande
- 100 g de salchichas
- aceite
- manteca
- 2 huevos duros

Se cuecen en agua levemente salada las judías y cuando estén en su punto, se rehogan en una cacerola con aceite y manteca, el ajo (enteros los dientes) y la cebolla picada, y cuando esto esté dorado, se añaden las salchichas cortadas en trocitos. Se da unas vueltas este sofrito y se le agregan las judías, con un poco de caldo de cocerlas. Se agregan rodajas de huevos duros en el momento de servir el potaje, más o menos caldoso, según los gustos.

CEBOLLAS AL HORNO (PLATO LAXANTE)

 media

 4 personas

 30 minutos

 bajo

INGREDIENTES

- 1 kg de cebollas blancas
- 2 huevos

- 2 cucharadas de aceite
- 1 pimiento morrón
- sal

Se cortan las cebollas en rodajas finas, que se rehogan durante unos minutos en aceite muy caliente, con el pimiento cortado en tiras y sal. Se echan los huevos sobre las cebollas y se introduce la fuente en horno moderado, dejando que cueza durante unos minutos.

PURÉ DE JUDÍAS BLANCAS

 media   4 personas   3 horas   bajo

INGREDIENTES

- 500 g de judías blancas
- sal
- mantequilla
- 100 g de tocino
- pan

Se remojan la judías durante toda la noche y se cuecen al día siguiente hasta que queden muy blandas, pasándose por el pasapurés o el colador fino. Al final de la cocción, se les añade sal.

El puré obtenido se deposita en una cacerola con un trozo de mantequilla (facultativo), sal y pimienta. Se fríen en la sartén trocitos de pan y el tocino, cortado en pequeños dados, y se sirven con el puré.

CALDO SIN GRASAS

 media

 4 personas

 3 horas

 bajo

INGREDIENTES

- 300 g de carne de ternera
- 1 pechuga de gallina
- 1 cebolla
- hierbas del caldo
- zanahorias
- apio
- puerros
- acederas
- perifollo
- sal

Se pone una olla al fuego con unos cinco litros de agua fría y, cuando empiece a hervir, se le va agregando la carne, la pechuga, la cebolla cortada en dos trozos y las hierbas bien lavadas, raspadas y cortadas menudas. Se pone un poco de sal y se deja que hierva lentamente durante tres horas.

El caldo, debidamente colado, puede ponerse con pastas finas o sobre pan tostado.

PUCHERO (EN LA OLLA A PRESIÓN)

 media

 4 personas

 60 minutos

 bajo

INGREDIENTES

- 400 g de carne de cocido
- 1 hueso de rodilla
- 3 puerros y 2 zanahorias
- 1 nabo y 1 tronco de apio
- 1 cebollita y 1 diente de ajo
- 1 kg de patatas y sal

Se ponen dos y medio o tres litros de agua en olla junto con las legumbres y un poco de sal, se lleva hasta la ebullición y se añade entonces la carne y hueso. Se tapa la olla y se deja hervir durante cincuen minutos. Se vuelve a abrir para agregar las patata mondadas, lavadas y cortadas en trozos. Se tapa nueva mente y se deja cocer todavía diez minutos.

Se abre la olla, se retira la carne, que se coloca una fuente, rodeada de las verduras.

Se elabora una sopa de tapioca o fideos finos co el caldo, dejando que hierva cinco minutos al descu bierto. Se pondrá una cucharada sopera de tapioca p persona o dos puñados de fideos finos.

SOPA AL ESTILO DE MÁLAGA

 media

 4 personas

 10 minutos

bajo

INGREDIENTES

- 3 huevos
- aceite
- pan

- limón
- ajo

Se pone agua y sal en una cacerola y, cuando empiece a hervir, se echa en ella el pan cortado en trocitos y las claras de los tres huevos. Se aparta la cacerola del fuego y en un plato se pone un ajo machacado con las yemas, agregándole aceite poco a poco, gota a gota, formando una especie de ajiaceite al que se añade zumo de limón y media tacita de agua.

Todo esto, bien deshecho, se vierte en la cazuela y se revuelve un poco para que no cuajen las yemas, sino que se incorporen bien a la sopa.

Se sirve en el acto.

SOPA BORDALESA

 media

 4 personas

5 minutos
(en la olla)

 bajo

- 3 o 4 dientes de ajo
- 30 g de mantequilla
- 3 cucharadas de harina de arroz
- costroncitos de pan fritos
- sal
- pimienta

Se pican bien los ajos y se doran en la olla con la mantequilla, añadiendo un litro de agua hirviendo, sal y pimienta. Se deja que hierva todo junto.

Aparte se diluye la harina de arroz con un poco de agua fría. Se vierte en la sopa, mezclándolo todo. Se cierra la olla y se deja cocer durante cinco minutos, a fuego lento, a partir del momento en que gira la válvula.

Se preparan costroncitos de pan dorados en aceite fino en la sartén. Se echan sobre la sopa en el momento de servirla.

PATATAS CON COLES

media

4 personas

30 minutos

bajo

INGREDIENTES

- 1 kg de patatas
- 1 col
- 3 dientes de ajo

- nuez moscada
- aceite
- manteca

Se mondan y hierven en agua salada las patatas, añadiendo a media cocción la col. Cuando todo esté cocido, se cuela y se guarda parte del agua de la cocción.

En la sartén grande se rehogan en aceite y manteca los ajos, y cuando estén dorados se echan patatas y coles, a las que se dan unas vueltas en la paellera, añadiéndoles un poco de nuez moscada rallada. (En vez de ajos pueden emplearse trocitos de tocino entreverado bien dorados.) Si se viera muy seco, puede añadirse un poco del agua de cocción apartada.

CROQUETAS DE ESPINACAS

 media

 4 personas

 40 minutos

 bajo

INGREDIENTES

- 1 kg de espinacas
- salsa besamel espesa
- sal
- pimienta
- nuez moscada
- 2 huevos
- pan rallado
- aceite y mantequilla
- 1 cebolla
- 2 dientes de ajo

Se lavan las espinacas y se hierven en agua salada durante cinco minutos, después de los cuales se escurren y se exprimen, poniéndose en una cacerola con un trozo de mantequilla de vaca. Aparte se prepara una besamel espesa, a la que se sazona con sal, pimienta blanca y nuez moscada rallada. Se agregan las espinacas, la cebolla picada finamente y los ajos, también picados. Se mezcla todo y se vuelca sobre una fuente, dejando que se enfríe completamente.

Momentos antes de comer, se corta la pasta en discos con una copa vuelta hacia abajo; se pasan los discos por harina, huevo batido y pan rallado, y se fríen en aceite.

TOMATES A LA PROVENZAL

 media

 4 personas

 5 minutos (en la olla)

 bajo

INGREDIENTES

- 4 tomates maduros
- 4 dientes de ajo
- pan rallado
- perejil
- 50 g de mantequilla
- sal
- pimienta

Se pican finamente el perejil y el ajo. La mantequilla se calienta en la olla a presión y en seguida se ponen en ella los tomates cortados en dos, sobre el lado del corte. Se dejan freír un minuto o dos y se les da la vuelta. Entonces se espolvorean con ajo y perejil picados, se rocían con pan rallado (muy blanco) y se sazonan con sal y pimienta.

Se tapa la olla y se cuecen cinco minutos.

PATATAS CON SALSA VERDE

media

4 personas

30 minutos

bajo

INGREDIENTES

- 1 kg de patatas
- 2 cebollas
- 3 dientes de ajo
- 2 cucharadas de harina

- 2 yemas de huevo
- sal
- limón
- perejil

Se fríe en una cacerola la cebolla picada junto c[on] los ajos, y se agregan las patatas, mondadas, lavada[s] cortadas en rodajas de un centímetro de gruesas. Se [re]hogan y se cubren con agua tibia, espolvoreándose [la] harina. Se agrega también bastante cantidad de per[ejil] machacado en el mortero para que el caldo se tiña [de] color verde.

Cuando estén cocidas las patatas, se les añade[n] dos yemas de huevo bien batidas y el zumo de me[dio] limón.

PATATAS VIUDAS

 media 4 personas 30 minutos bajo

INGREDIENTES

- 1 kg y medio de patatas
- 100 g de tocino entreverado
- 1 cebolla
- 3 tomates
- 1 hoja de laurel
- tomillo
- pimentón
- manteca de cerdo

Se sofríe el tocino, cortado en trocitos, con una cucharada de manteca y, cuando tome color, se le añade la cebolla, que ha de dorarse un poco también. Luego se agrega el tomate mondado y cortado en trocitos, las especias, pimentón y una hoja de laurel. Las patatas, mondadas, lavadas y cortadas en trocitos pequeños, se sofríen levemente con todo ello y se cubren luego con agua tibia, dejándolas cocer hasta que ablanden.

GUISANTES CON JAMÓN

 media   4 personas   40 minutos   bajo

 **INGREDIENTES**

- 1 kg de guisantes tiernos
- 1 lechuga
- 150 g de jamón crudo
- harina
- manteca y aceite

Se fríe en manteca y aceite, sin que llegue a dorarse, el jamón cortado en dados; se le añade un poco de agua tibia, o mejor aún caldo de cocido, y los guisantes desgranados. Se deja que cueza a fuego lento, añadiendo una lechuga lavada y cortada en trozos.

Cuando los guisantes estén tiernos, se añade al guiso la harina deshecha en un poquitín de agua y se deja que dé otro hervor.

TOMATES RELLENOS

 media   4 personas   40 minutos   bajo

- 12 tomatitos maduros
- 100 g de jamón
- 75 g de queso
- gruyère rallado
- perejil
- 1 huevo
- 50 g de mantequilla
- pan rallado
- aceite o manteca

Los tomates se lavan y vacían por la parte del rabo, dejándoles hueco suficiente para poder rellenarlos. Se hace entonces un picadillo con el jamón, agregándole el queso rallado, un poco de perejil picado, la mantequilla y el huevo batido. Esta pasta se trabaja un rato, añadiéndole un poco de pan rallado, y con ella se rellenan los tomates, que se van colocando, con el relleno hacia arriba, en una cacerola, en cuyo fondo se pone un poco de manteca de cerdo o aceite.

Se asan los tomates en el horno, a fuego suave, hasta que presenten buen aspecto y se vean cocidos.

SOPA EXQUISITA

 media   4 personas   2 horas   bajo

INGREDIENTES

- 100 g de jamón
- 1 trozo de gallina
- hierbas de caldo
- sal
- 1 o 2 huesos

- 4 cucharadas soperas de fécula de patata
- 1 copita de jerez seco
- 3 yemas de huevo

Se hace el caldo de gallina y jamón, poniéndol también huesos o hierbas, y cuando haya hervido do horas y media se cuela y se hace una sopa con fécula d patatas, dejándola hervir un rato.

En este puré, que ha de quedar clarito, se pone entonces trozos de gallina cocida y una copita de jerez Se deja que dé unos hervores y se vierte en la soper sobre las yemas de huevo batidas.

SOPA DE PESCADO (CON ARROZ)

 media

 4 personas

 40 minutos

 bajo

INGREDIENTES

- 500 g de rape
- 1 zanahoria, 1 nabo y apio
- ajo, perejil y aceite
- cebollas y 2 o 3 tomates
- 125 g de arroz

Se limpia bien el pescado y se pone a cocer en agua suficiente para los platos de sopa requeridos (ocho a diez platos de agua fría), junto con la zanahoria, el nabo y el apio. A los pocos minutos se retira el pescado, dejando que cuezan un poco más las verduras. El pescado se desmenuza y se guarda aparte, tirándose todas las pieles y espinas que tenga.

Por otra parte, se hace un sofrito con una cebolla bien picada y tres tomates maduros, poniéndoles sal y pimienta. Se pasa por el tamiz y se echa esta salsita en una cacerola, bañándola con el caldo de cocer el pescado y la verdura.

Se pone nuevamente al fuego, echándole el arroz cuando rompa a hervir. Cuando el arroz blandee, se aparta, se le añade el pescado desmenuzado, se le pone la zanahoria cortada en trocitos pequeños y se le agrega un poco de perejil y ajo picados. Se sirve cuando el arroz está bien hinchado y en su punto, poniéndole sal y pimienta.

COCIDO CLÁSICO

 media 4 personas 3 horas bajo

 INGREDIENTES

- 200 g de pecho de ternera o costilla
- 2 o 3 huesos y 1 huevo
- 1 pechuga o muslo de gallina
- 1 trozo de butifarra o chorizo
- 150 g de carne picada
- 500 g de patatas y 150 g de garbanzos remojados
- apio, puerro, zanahoria, nabo
- 150 g de pasta para sopa
- 1 diente de ajo, perejil y sal

Se lava la carne junto con los huesos y se echan en agua fría. Se añade la gallina, y cuando el caldo empieza a hervir se le quita cuidadosamente la espuma. Se echan entonces los garbanzos, agregando las hierbas lavadas y cortadas en pedacitos, y sal.

Se prepara la pelota como sigue: se pone la carne picada en un plato sopero y se le agrega la yema de huevo, apartando la clara. Se le pone sal, perejil y un diente de ajo finamente picado y un poco de miga de pan desleída en leche. Se revuelve bien todo junto y se forma la pelota, redonda y alargada, pasándola por harina. Cuando la cocción esté casi terminada, se agrega al caldo esta pelota y la butifarra o chorizo.

GARBANZOS CON TOCINO

 media

 4 personas

 60 minutos

 bajo

INGREDIENTES

- 400 g de garbanzos remojados
- 1 zanahoria y 1 cebolla
- 2 clavos de olor
- laurel y tomillo
- 100 g de chorizo
- 200 g de tocino ahumado
- aceite y sal
- 1 cucharada sopera de puré de tomate

Se ponen los garbanzos remojados en la olla y se cubren con agua fría. Se añaden las cebollas cortadas en trozos, clavando en dos de ellas los clavos de olor, el laurel, el tomillo, el tocino ahumado a trozos, aceite y sal. Se tapa la olla y se deja cocer a fuego suave durante cuarenta y cinco minutos.

Entonces se abre la olla, se vacía y se escurren los garbanzos (guardando el caldo de cocerlos). Se limpia la olla y se calienta en ella un poco de aceite. Se agrega el puré de tomate, dos vasos del caldo apartado, las zanahorias y el chorizo cortados en rodajas, luego el tocino y los garbanzos.

Se cierra nuevamente la olla y se deja cocer durante quince minutos más.

BERENJENAS RELLENAS A LA MODERNA

 media

 4 personas

 40 minutos

 bajo

 INGREDIENTES

- 4 berenjenas medianas
- ajo y perejil
- piñones
- sal
- 50 g de queso rallado
- 2 huevos
- aceite

Se hierven la berenjenas en agua salada, y cuando estén blandas se parten por la mitad a lo largo y se vacían. Lo que hayamos extraído se pica con un diente de ajo, perejil y unos piñones, poniéndoles sal. Se añade a esta pasta el queso rallado y se bate con un par de huevos, añadiendo un chorrito de aceite fino.

Se rellenan las berenjenas con esta mezcla, se ponen alineadas en una tartera que vaya al horno, se rocían con aceite y se ponen en el horno hasta que se doren por encima.

PURÉ DE JUDÍAS ROJAS

 media   4 personas   2 horas   bajo

INGREDIENTES

- 500 g de judías rojas
- 1 zanahoria
- 1 cebolla
- perejil
- tomillo
- laurel
- sal

Se remojan las judías la víspera y se cuecen, luego, en agua fría, agregándoles una cebolla y una zanahoria cortadas en trozos, así como un manojo compuesto de perejil, tomillo y una hoja de laurel.

Cuando estén bien cocidas las judías, se pasan por el pasapurés, se agrega un poco de agua o caldo al puré si fuese necesario y se sirve con costroncitos de pan frito.

ALCACHOFAS ESTOFADAS

 media

 4 personas

 45 minutos

 bajo

 **INGREDIENTES**

- 8 alcachofas
- 2 tomates
- 1 zanahoria
- 1 trozo de apio
- 1 limón

- 1 yema de huevo
- 4 cucharadas de aceite
- sal
- laurel y tomillo

Se lavan y preparan las alcachofas, quitándoles la hojas duras y recortándolas. Se fríen en aceite junto co dos tomates, la zanahoria cortada en rodajas y los demá ingredientes, durante unos quince minutos. Se añade u vaso de agua tibia durante media hora más. Se cuela salsa al cabo de este tiempo y se le añade la yema d huevo. Las alcachofas se pasan a una fuente, se rocía con la salsa y se sirven.

SOPA DE MERLUZA A LA CATALANA

media

4 personas

15 minutos

bajo

INGREDIENTES

- 200 g de merluza (de la parte que se quiera, puesto que ha de desmenuzarse)
- aceite
- una cebolla
- sal
- pimiento
- perejil
- pimentón
- pan tostado
- ajos

Se fríe en aceite la cebolla picadita y, cuando empiece a dorarse levemente, se le agrega la merluza desmenuzada, limpia de todas la pieles y espinas. Se fríe esto unos segundos. Se añade sal, pimienta y pimentón, dos dientes de ajo machacados en el mortero con un poco de perejil y se agrega agua, en la cantidad justa para cuatro platos.

A los pocos minutos se vierte esto en la sopera, sobre pan tostado, y se sirve.

HABAS A LA CATALANA

 media

 4 personas

 45 minutos

 bajo

INGREDIENTES

- 3 kg de habas tiernas
- 100 g de butifarra negra
- 100 g de tocino entreverado
- aceite
- manteca
- una hoja de laurel
- una hoja de menta fresca

Se desgranan las habas y se rehogan en la cacerola con una cucharada de manteca, un chorro de aceite, se el tocino cortado en tiritas y la hoja de laurel.

Cuando se le hayan dado unas vueltas y el tocino esté levemente frito, se tapa la cacerola y se deja que cuezan a fuego lento, dándoles vueltas a menudo para que no se agarren. Si son habas tiernas y no muy grandes, no habrá que ponerles líquido alguno, que es cuando do resultan mejores. Cuando falten tan sólo diez minutos para terminar la cocción, se agrega la butifarra cortada en rodajas y se deja que acaben de cocerse.

Al servirlas, en la grasa, se quita el laurel y la menta.

En vez de tocino puede ponérseles jamón cortado en cuadritos o chorizo.

SOPA ESCARCHADA

 media

 4 personas

 10 minutos

 bajo

 INGREDIENTES

- 4 huevos
- aceite
- vinagre
- pan

Se preparan cuatro platos soperos, poniendo en ellos unas cuantas rebanaditas de pan finamente cortado, que se aliñan con aceite y vinagre.

En una sartén mediana se pone agua y sal, y cuando el agua hierva, se echa dentro un huevo. Cuando empiece éste a cuajar y la yema esté todavía blanda, ésta se desprende con una cuchara y se pone en un plato de sopa, sobre el pan, revolviéndolo bien. Se añade el resto del huevo y el agua de la sartén se remueve nuevamente y se sirve caliente la sopa. Se repite la operación con los otros tres huevos.

JUDÍAS VERDES A LA «MAÎTRE D'HOTEL»

 media

 4 personas

 30 minutos

 bajo

 INGREDIENTES

■ 400 g de judías verdes finas

■ 300 g de mantequilla fresca

■ 1 cucharada sopera de harina

■ 1 cucharada de perejil

■ zumo de medio limón

Se hierven las judías verdes en agua salada (dest pada la olla para que queden más verdes), se cuel cuando estén cocidas y se echan entonces en una cac rola con la mantequilla de vaca, fresca, y la harina, añ diendo una pequeña cantidad del caldo de cocerlas, q se habrá apartado a este fin al colarlas.

Se remueve la mezcla con cuidado para no estr pear las judías y, cuando la salsa esté trabajada, se aña una cucharada de perejil picado y el zumo de med limón.

Se sirve en el acto.

CALABACINES RELLENOS

 media

 4 personas

 30 minutos

 bajo

INGREDIENTES

- 4 calabacines tiernos medianos
- 150 g de carne picada
- perejil
- ajos
- azafrán
- miga de pan

- aceite
- harina
- sal
- pimienta
- 1 huevo

Se cortan ambos extremos de los calabacines y se ahuecan para meter en su interior un picadillo de carne bien sazonado de sal y pimienta, al que se añade perejil y una yema de huevo para trabarlo.

Se enharinan los calabacines (mondados, desde luego) y se fríen con abundante aceite, colocándose en una cacerola con agua suficiente para que cuezan. En esta salsa se pone perejil picado, ajo picado, azafrán y una miga de pan frita en aceite.

Se deja que cuezan hasta que se vean en su punto.

JUDÍAS VERDES CON PIMIENTOS

media   4 personas   45 minutos   bajo

INGREDIENTES

- 500 g de judías verdes
- sal
- aceite
- perejil
- 2 pimientos colorados

Se cuecen las judías verdes en agua que hierv[a] borbotones y se sazona con sal.

Escurridas una vez cocidas, se fríen en la sart[én] con aceite (o manteca), los pimientos asados y cortad[os] en tiras, espolvoreándolos al final con abundante pe[re]jil picado. Se saltea todo con las judías unos instante[s y] se sirve como legumbre sola.

SOPA DE GAMBAS

 media 4 personas 30 minutos bajo

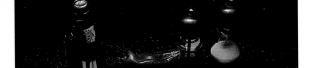

 **INGREDIENTES**

- 200 g de gambas
- aceite
- cebolla
- 2 tomates
- 1 pimiento verde

- 2 dientes de ajos
- hierbabuena
- sal
- pimienta molida
- pan rebanado

Se hierven las gambas en agua salada y con su caldo se prepara una sopa muy sabrosa. Para ello se fríe, en una sartén o cazuela, una cebolla mediana, bien picada; se le pone tomate y un pimiento verde picado. Cuando esto esté frito, se le añade el caldo del pescado, colado; se le pone los ajos y la hierbabuena bien picados, unas chispas de pimienta molida y un poco más de sal y las gambas mondadas, y se echa el conjunto en la sopera sobre pan rebanado. Puede agregarse un chorrito de aceite crudo.

COLIFLOR EN SALSA BLANCA

 media

 4 personas

 30 minutos

 bajo

INGREDIENTES

- 1 coliflor bien blanca
- 50 g de mantequilla
- 50 g de queso rallado
- 1 cucharada de harina
- caldo o agua
- nuez moscada

Se hierve la coliflor en agua levemente salada, antes de que se deshaga se saca y se escurre, procuran do que no se enfríe.

Por otra parte, se prepara una salsa blanca, deshaciendo la harina en una cacerolita con la mantequilla, haciendo una papilla que se moja con caldo o agua y la que se pone un poco de sal y nuez moscada rallada. Se le dará unos hervores.

Se coloca la coliflor, partida en cogollitos, en una fuente que vaya al horno, y se riega con la salsa blanca. Finalmente, se espolvorea con queso rallado y se dora unos momentos en horno caliente.

GUISANTES ESTOFADOS

 media

 4 personas

 30 minutos

 bajo

INGREDIENTES

- 1 kg de guisantes tiernos
- 1 cebolla tierna
- 30 g de mantequilla
- 50 g de tocino entreverado
- agua

Se desgranan los guisantes mientras se rehoga en una cacerola el tocino entreverado, cortado en trocitos pequeños, con la mantequilla y la cebollita, entera.

Cuando el tocino empiece a dorarse, se añaden los guisantes y un poco de sal, y se les da unas vueltas para que se empapen de la grasa. En seguida se riegan con agua tibia que los cubra y se tapan, dejándolos cocer hasta que estén tiernos. Al servir, se retira la cebolla.

PATATAS A LA POLACA

 media

 4 personas

 30 minutos

 bajo

 **INGREDIENTES**

- 1 kg de patatas
- 1 salsa blanca
(ver «salsas»)
- 50 g de alcaparras
- 50 g de pepinillos
en vinagre

Se cuecen con piel las patatas y luego se mondan cortan en rodajas de apenas un centímetro de grues rociándose con una salsa blanca, a la que se añaden ci cuenta gramos de alcaparras y otros cincuenta de pep nillos picados.

PIMIENTOS RELLENOS CON SESO

 media

 4 personas

 60 minutos

 bajo

 INGREDIENTES

- 4 pimientos encarnados
- 100 g de jamón crudo
- 200 g de carne de cerdo picada
- 1 huevo duro
- 1 seso hervido
- harina
- 2 tomates
- 1 cebolla
- ajo, perejil, sal y pimienta

Se lavan y vacían de semillas, por el rabo, los pimientos, que se escogerán muy frescos. Se escurren y se procura que queden bien enteros. Por otra parte, se prepara un picadillo con el jamón crudo, la carne de cerdo finamente picada, el seso hervido, perejil y ajo picados, sal y pimienta molida.

Todo esto, bien revuelto, se pone en los pimientos, que se enharinan y fríen en la sartén con aceite, retirándolos cuando se han frito un poco por todos los lados y poniéndolos en una cacerola donde quepan holgadamente. En la grasa sobrante se rehogan los tomates y la cebolla picados. Cuando estén en su punto se añade un poco de agua tibia, se echa sobre los pimientos y se sazona con sal, sirviéndose en esta salsa cuando estén bien cocidos.

SOPA DE CALDO A LA HÚNGARA

 media

 4 personas

 al instante, teniendo caldo hecho

 bajo

INGREDIENTES

- 4 platos soperos de caldo
- ajo
- perejil

- 3 huevos
- 1 patata cocida y pasada por el pasapurés

Se baten bien dos huevos y se les agrega un poc[o] de ajo y perejil finamente picados. Se pone también [un] poco de harina y se bate nuevamente todo, obtenien[do] una pasta espesa que se fríe a cucharaditas en mante[ca] muy caliente (o aceite).

Se pone este frito en la sopera y encima se vier[te] el caldo del cocido espesado con la tercera yema [de] huevo, batida, y con la patata transformada en puré.

Resulta una sopa espesa y muy rica.

POTAJE CATALÁN

 media

 4 personas

 3 horas

 bajo

INGREDIENTES

- 300 g de garbanzos
- 2 cebollas
- manteca
- 3 tomates maduros
- 100 g de butifarra catalana
- sal
- pimienta molida
- 2 huevos duros

Se cuecen los garbanzos puestos en remojo la víspera y, cuando estén cocidos (se les pone un poco de sal en el último momento), se pone manteca en una cacerola y en ella se fríe bastante cebolla finamente picada y el tomate, desprovisto de la piel y cortado en trocitos. Cuando esto esté bien sofrito, se añade la butifarra catalana a trozos, se le da una vueltas y se echan los garbanzos (sin caldo), dándoles un par de vueltas para que tomen el gusto. A continuación se agrega parte del caldo de los garbanzos, se deja hervir a fuego muy moderado, sazonando el potaje de sal y pimienta, y en el momento de servirlo se cortan en rebanadas los huevos cocidos duros y se agregan a lo demás.

PIMIENTOS A LA LEVANTINA

 media

 4 personas

 45 minutos

 bajo

 INGREDIENTES

- 6 pimientos encarnados
- 150 g de atún en escabeche
- 1 trocito de mantequilla fresca

- perejil
- aceitunas
- lechuga
- aceite
- vinagre y sal

Se asan los pimientos, mondándolos. Se abren y se limpian de semillas. En el mortero se machaca el atún en escabeche, poniéndole un pedacito de mantequilla fresca. Se abren los pimientos en tiras anchas y sobre cada pedazo se pone una pequeña cantidad de picado, enrollando a continuación las tiras de pimiento hasta formar con ellas una especie de canelones.

Se ponen en una fuente redonda, formando corona, y en el centro se ponen unas hojas de lechuga aliñadas y aceitunas.

Se espolvorean los canelones de pimiento con perejil picado y se rocían con una mezcla de aceite, vinagre y sal.

PATATAS CON ESPINACAS

 media

 4 personas

 30 minutos

 bajo

INGREDIENTES

- 600 g de espinacas
- 600 g de patatas
- aceite
- sal
- pimienta
- nuez moscada
- 50 g de mantequilla
- pan rallado

Se prepara un puré de patatas, y por otra parte se cuecen, cuelan y pican las espinacas, que se mezclan con el puré, bien sazonado.

La mezcla se deposita en una fuente que vaya al horno, se espolvorea con pan rallado, se adorna con trocitos de mantequilla y se dora.

CALABACINES RELLENOS (otra)

 media 4 personas 10 minutos bajo

- 4 calabacines y 1 cebolla
- 100 g de carne picada
- 2 huevos y pan rallado
- salsa de tomate

Se cortan los calabacines por la mitad a lo largo se hierven en agua levemente salada hasta que estén poco blandos, procurando que la cáscara no se estr pee, puesto que ha de rellenarse.

Se escurren y se les saca la carne que se pone un plato hondo, apretándola con una cuchara para q suelte todo el agua y quede seca.

Se pica esta carne del calabacín, junto con un tr cito de cebolla, y se fríe en la sartén con manteca y c la carne picada (cerdo, ternera, etc.). Se salpimenta es relleno, se le pone un poco de salsa de tomate m espesa y se rellenan la cáscaras con él. A continuació se rebozan con huevo y pan rallado, y se fríen en acei y manteca, sirviéndose bien calientes.

También puede cocerse en el horno.

CALDO «PRONTO HECHO»

 media

 4 personas

 30 minutos

 bajo

INGREDIENTES

- 600 g de carne de buey o ternera picada
- 1 trozo de apio
- 2 zanahorias
- 2 nabos
- 2 puerros
- 1 cebolla mediana
- sal

Se pone a cocer la carne picada en una olla con tres litros de agua. Cuando empiece a hervir, se ponen las verduras y la cebolla y un poco de sal.

A la media hora se cuela el caldo y se emplea.

HABAS A LA PARISIENSE

media

4 personas

60 minutos

bajo

INGREDIENTES

- 4 kg de habas
- salsa besamel
- 2 yemas de huevo
- 2 cucharadas de mantequilla
- nuez moscada

Se desgranan las habas y se cuecen en agua levmente salada hasta que estén tiernas.

Se escurren bien y se depositan en una ensalado fuente honda, cubriéndose con una salsa besamel, aque se agregan, una vez hecha, dos yemas de huevo, poco de mantequilla y nuez moscada rallada.

ZANAHORIAS CON JAMÓN

 media   4 personas   30 minutos   bajo

INGREDIENTES

- 600 g de zanahorias tiernas
- 100 g de jamón crudo
- manteca de cerdo
- sal
- pimienta
- 2 tazas de agua tibia

Se limpian y rascan las zanahorias, que se cortan en rodajas delgadas. Si son pequeñitas, se cortan en dos o en cuatro, a lo largo.

Se calienta la manteca (una cucharada sopera basta) en una cacerola y se echan en ella las zanahorias y el jamón cortado en pedacitos. Se sazona con sal y pimienta, se añade una cucharadita de harina, se revuelve bien y se deja que se rehogue todo junto durante diez minutos, procurando no se agarre.

Se añade entonces el agua tibia y, cuando empiece a hervir, se tapa la cacerola, cociéndose el guiso hasta que esté tierno y la salsa en su punto, escasa y espesita.

SOPA DE ALBÓNDIGAS

 media

 4 personas

 30 minutos

 bajo

INGREDIENTES

- 4 platos de caldo
- 100 g de carne del cocido, restos de ternera, etc.
- 50 g de jamón
- 1 cebolla
- perejil y sal
- 2 huevos
- 4 cucharadas soperas de tapioca
- harina

Se pica finamente la carne, del tipo que se pref[ie]ra, y el jamón, un poco de perejil y cebolla. Con to[do] ello se preparan unas albóndigas del grosor de [una] cereza pequeña, a las que se pone sal, y se traban c[on] yema de huevo y harina.

Se fríen en aceite, sin dorarlas mucho, y se po[nen] en el fondo de una sopera. El caldo se calienta y, cu[an]do arranque a hervir, se añade la tapioca en forma [de] lluvia, hirviéndola unos doce minutos hasta que e[sté] bien cocida. Se retira del fuego y se agrega una ye[ma] de huevo, removiendo bien y de prisa para que [no] cuaje. Finalmente, se vierte en la sopera sobre [las] albóndigas.

SOPA DE PESCADO A LA LEVANTINA

 media

 4 personas

 30 minutos

 bajo

INGREDIENTES

- 2 o 3 salmonetes
- 1 lenguado
- 1 pescadilla
- 2 cabezas de merluza
- 1 zanahoria

- 2 tomatitos
- perejil y azafrán
- ajos y pimienta
- sal y aceite
- 2 l de agua y pan duro

Se cuecen los pescados con las zanahorias cortadas en trozos, perejil, azafrán, dos dientes de ajo, un poco de aceite, los tomates, pimienta y sal.

Cuando estén cocidos, a los pocos minutos, se retiran y mientras la sopa va cociéndose se sacan en filetes o en trocitos, que se colocan en el fondo de una sopera, junto con trocitos de pan frito en aceite.

El resto del pescado, es decir, las cabezas de merluza, se pone en un colador, pasando por él la sopa y oprimiendo un poco para que suelte toda la sustancia, vertiéndose entonces este caldo en la sopera.

ALCACHOFAS CASERAS

 media

 4 personas

 30 minutos

 bajo

INGREDIENTES

- 8 alcachofas
- 3 o 4 tomates maduros
- 2 dientes de ajo
- perejil
- canela
- pimienta negra molida
- 1 copita de vino blanco
- 1 limón

Se lavan y cortan en dos las alcachofas, recort
dolas un poco de la punta y quitándoles las prime
hojas duras. Luego se frotan con el limón para qu
salsa no quede oscura.

Se ponen entonces en una cacerola y, con la me
luna, se pican los tomates, los ajos y el perejil. T
esto se agrega a las alcachofas, añadiéndose un poco
canela, otro poco de pimienta negra molida, sal y
copita de vino blanco. Se deja que hierva a fue
moderado hasta que estén blandas.

SOPA DE LUJO

 media

 4 personas

 15 minutos

 bajo

INGREDIENTES

- 1/4 de gallina
- 200 g de jamón serrano
- 1 copita de jerez
- 4 cucharadas de fécula de patata
- 4 yemas de huevo

Se prepara un caldo de gallina y jamón, y cuando haya hervido lo suficiente se cuela y se hace la sopa de fécula de patata. Cuando haya hervido un rato (no ha de quedar muy espesa), se cuela nuevamente para que quede más fina. Se le ponen entonces trocitos de gallina hervida y media copita de vino de Jerez seco, dejándole hervir cinco minutos más.

En la sopera se tienen preparadas yemas de huevo batidas, contando una por plato de sopa, y en el momento de servir ésta se echa en la sopera, sobre las yemas. Es una sopa exquisita.

GAZPACHO ANDALUZ

 media

 4 personas

 30 minutos

bajo

INGREDIENTES

- 2 dientes de ajo
- sal
- pimienta molida
- 2 pimientos verdes
- pan rallado
- aceite
- 3 tomates maduros
- vinagre

Se echan en el mortero los ajos, sal, los pimien[tos] verdes y un poco de pimienta molida. Se moja bien [a] continuación se añade bastante cantidad de pan ralla[do] y aceite.

Se trabaja mucho hasta que quede una pasta sua[ve] y se agrega el tomate, muy picado, volviendo a traba[jar] la pasta. Cuando esté bien ligada, se le pone un poco [de] vinagre y agua. Se pasa por un tamiz y se sirve. Ha [de] tener la consistencia de un puré.

PATATAS CON CEBOLLA Y TOMATES

 media

 4 personas

 30 minutos

 bajo

INGREDIENTES

- 1 kg de patatas
- aceite
- manteca
- 1 cebolla

- 2 tomates
- sal
- pimienta molida

Se pelan y lavan las patatas, partiéndolas en trocitos cuadrados, que se rehogan con manteca y aceite, cebolla y tomate picado y se cubren entonces con agua tibia, agregándoles sal y pimienta molida.

Se deja que cuezan hasta que estén tiernas y casi no quede salsa.

PATATAS EN SALSA BLANCA

 media

 4 personas

40 minutos

 bajo

INGREDIENTES

- 1 kg de patatas
- 50 g de mantequilla
- 1 cucharada de harina
- sal
- pimienta
- leche
- 1 yema de huevo

Se cuecen las patatas con piel, se mondan y se co tan en rodajas. Se prepara entonces una salsa blanc deshaciendo la harina con la mantequilla y un poqui de sal y pimienta, añadiendo un poco de agua tibia cociéndola un ratito, cuidando de remover sin par. Con esta salsa se rocían las patatas, que se dejan rato a fuego muy moderado.

En el momento de servirlas se les añade una yer de huevo desleída en un poquito de leche. Tambi puede ponerse un poco de perejil finamente picado la salsa, lo cual da bonito aspecto al plato,

SOPA REAL

 media

 4 personas

 3 horas

 bajo

INGREDIENTES

- 3 puerros
- 3 zanahorias
- 2 nabos y 1 apio
- 1 cebolla y 2 dientes de ajo

- 3 huevos
- medio limón
- perejil, sal y pimienta

Se echan tres litros de agua en una olla y se le añaden los puerros, los nabos y las zanahorias, cortados en trozos pequeños, así como el apio. La cebolla se parte en dos. Los ajos se mondan antes. Mientras cuecen estas verduras, se cuecen los huevos hasta que estén duros; se separan las yemas y se aplastan con el tenedor hasta obtener un puré. Las claras se pican finamente. A las tres horas de cocción, se cuela la sopa, conservando sólo el caldo claro. Se le agregan los huevos picados y se pone nuevamente al fuego, haciéndola hervir un momento nada más.

Al servirla, se le pone perejil finamente picado y se le añaden rodajas finas de limón, cortadas en cuatro trozos.

DICCIONARIO DE TÉRMINOS CULINARIOS
Castellano - Americano

A

Abadejo	Bacalao
Abrillantar	Cubrir (Méx.), Enrobar
Acedera	Agrilla (Méx.)
Aceite de cacahuete	Aceite de maní (Arg., Chil., Méx., Per.), Cacao de la tierra (Per.)
Aceituna	Oliva
Aderezar	Aliñar, Condimentar, Sazonar
Adobo	Aliño, Marinada
Agua de Azahar	Aguanaza
Aguacate	Aguacate, Abocado (Per.), Palto, Paltá (Arg., Chil., Per.)
Aguardiente	Calaguasca, Abatí, Chiringuito (Arg., Chil., Per.)
Ajiaceite	Ajada (Arg., Chil.), Alioli, Ajolio
Ajo puerro	Puerro, Porro (Arg., Chil., Per.)
Ajonjolí	Sésamo
Albahaca	Alfábega, Alábega
Albarda	Albarailla
Albaricoque	Albarcoque, Damasco (Arg., Chil.)
Albóndiga	Albondiguilla, Bodoque
Alcachofa	Alcaucil, Alcací, Alcuacil
Alcaparra	Pápara
Alcaravea	Comino (Arg., Chil., Per.)
Alfóncigo	Pistacho (Arg., Chil., Per.)
Aliñar	Aderezar, Condimentar
Aliño	Adobo
Alioli	All i Oli, Ajiaceite, Ajada, Ajolio
Almíbar	Sirop, Miel (Per.), Miel de abeja (Arg.)
Almidón	Fécula (Arg., Chil.)
Almirez	Mortero (Arg., Chil., Per.)
Alubia	Habichuela, Judía, Poroto, Arveja, Calamaco, Caraota, Fréjol, Fríjol
Ananás	Ananá, Abacaxí, Piña tropical
Ancas de rana	Patas de rana
Anchoa	Boquerón (Arg., Chil., Per.), Anchova, Bocarte
Apio celerí	Arracachá, Esmirnio, Panul, Perejil macedonio, Apio España
Armar	Recoser
Arroz	Casulla, Macho, Palay
Atún	Bonito (Arg., Chil., Per.), Albácora (Arg., Chil., Per.), Abácora
Azafrán	Brin, Croco, Bijol, Color
Azúcar flor	Azúcar sémola
Azúcar glass	Azúcar lustre
Azúcar molido	Azúcar sémola, Azúcar flor
Azucarillo	Bolado

B

Babilla	Cuete, Cadera
Bacalao	Abadejo
Beicon	Tocino, Panceta (Arg.), Tocineta
Banana	Plátano
Bandeja	Charola (Méx.), Jofaina, Lebrillo (Arg., Chil., Per.)
Barquita	Barquilla (Arg., Chil.)
Batata	Papa dulce (Per.), Boniato, Moniato, Moñato, Camote (Arg., Chil.)
Batidor	Varillas
Baya	Gálvula, Güiro
Becada	Becasina, Bequerada, Coalla, Chilacoa, Chocha, Chorcha, Gallina sorda, Gallineta (Arg.), Pitorra
Bechamel	Bechamela, Besamel, Besamela (Per.), Salsa Blanca (Arg., Chil.)
Besugo	Castañeta, Papamosca
Bistec	Biftec, Bife (Arg., Chil.), Entrecot
Bizcocho	Cauca (Arg., Chil., Per.), Galleta (Arg., Chil., Méx., Per.)
Bol	Tazón, Vasija
Boniato	Batata, Camote (Chil.)
Bonito	Abácora, Albáceora
Boquerón	Alacha, Aladroque, Alefe, Anchoa, Anchoíta, Anchova, Haleche, Lacha
Bote	Lata (Arg., Chil., Per.), Pote (Arg., Chil., Per.), Frasco (Méx.)
Brocheta	Broqueta
Bróculi	Brécol, Coliflor, Repollo morado (Méx.)
Broqueta	Brocheta
Butifarra	Salchicha, Chorizo
Butifarra negra	Morcilla

C

Cabeza de costilla	Agujas, Costillas de ternera
Cabrito	Chivito
Cacahuete	Maní
Cadera	Babilla, Cuete (Méx.)
Café (infusión)	Tinto
Calabacín	Calabacita, Zapallito (Arg., Chil.), Zapallo italiano, Hoco, Zambo
Calabaza	Zapallo, Bulé, Auyama
Calamar	Chipirón
Caldereta de pescado	Caldillo
Caldo corto	Corto cocimiento, Medio caldo
Callos	Mondongo (Arg.), Tripa, Vientre, Guatitas (Chil.), Canan, Menudo
Camarón	Chacalín, Cámbaro, Cangrejo de río (Per.), Quisquilla (Per.)
Canapé	Pasabocas, Pasapalos
Cangrejo de mar	Cámbaro, Barrilete, Cocolia
Cangrejo de río	Cámbaro, Camarón (Chil.), Centola (Méx.), Centolla (Méx.), Jabia
Caramelo	Azúcar tostado
Carne de vaca, de buey, etc.	Carne de res
Cazuela	Cocotte, Vasija
Cebolleta	Cebollino inglés, Cebollita Cambray, Cebolla cabezona
Cebollita de platillo	Cebollino, Cebollita

Cebón	Cerdo, Cochino (Méx.), Chanco, Puerco
Cecina	Chalona, Chacina, Chanque
Cedazo	Cernidor (Méx.), Jibe, Tamiz
Centollo	Centolla (Arg.)
Cerdo	Cochino (Méx.), Chuchi, Chanco (Arg., Chil., Per.), Tunco, Cocho, Puerco (Arg., Chil., Per.), Cebón
Chalote	Ascalonia
Champiñón	Seta, Hongo
Chipirón	Calamar, Calamarete
Chirla	Almeja pequeña
Chocha	Becada, Vecasina, Chochita
Chorizo	Salchicha
Chuleta	Coteleta (Méx.)
Cigala	Camarón
Cilantro	Coriandro
Civet	Estofado
Clarificar	Acouchar
Clavo de especia	Clavete, Clavo de olor (Arg., Chil.)
Clavo de olor	Clavo de especia
Cochinillo	Cochinita, Lechón, Tostón, Cerdo
Cocido	Olla, Puchero
Cocote	Cazuela, Olla
Col	Berza, Bretón, Tallo, Repollo, Col de hoja, Posarno
Col lombarda	Col roja
Coliflor	Brécol, Brécole, Brócul, Brecolera (Arg., Chil.), Bróculi
Comino	Kummel, Alcaravea
Condimentar	Sazonar
Conejo	Liebre
Consomé	Consumido (Arg.)
Contrafilete	Falso filete
Cordero lechal	Cordero de leche
Coriandro	Culantro (Chil., Per.)
Crema (postre)	Natillas, Flan
Crêpe	Crepa, Panqueque (Arg.)
Curry	Cary

D

Dentón	Besugo
Despojo	Vientre, Asadura, Menudillos
Dorada	Dorado
Dorar	Colorear

E

Embutido	Codeguín (Arg.), Prieta, Carne fría
Emparedado	Bocadillo, Sandwich
Endivia	Escarola
Encurtido	Pickle
Entrecote	Solomillo, Entrecuesto
Escalonia	Ascalonia
Escaloña	Ascalonia, Escalonia (Arg., Chil., Per.), Chalote (Arg., Chil.)
Escalope	Loncha, Lonja, Escalopa, Milanesa (Arg., Chil., Per.), Carne enromada
Escarola	Lechuga crespa
Espetón	Broche
Estragón	Dragoncillo (Per.)
Esturión	Sollo

F

Faba	Judía blanca
Farsa	Relleno, Recado
Fécula	Almidón
Fécula de patata	Chuño
Filete	Solomillo, Lomito
Filloa	Pankeca, Panqueque
Flor de leche	Crema de leche, Crema doble, Nata
Foie-gras	Paté
Forrar	Enfondar, Encamisar, Recubrir (Méx.)
Freír	Fritar, Saltar (Méx.)
Fresa	Frutilla (Arg., Chil.)
Fritada	Freidura, Fritura
Fritura	Freidura
Fuente	Platón
Fumet	Fondo

G

Galleta	Bizcocho
Gamba	Camarón, Langostino
Garbanzo	Mulato
Gelatina	Jelatina, Granetina
Girasol	Mirasol (Arg., Chil., Per.), Acuagual, Achangual
Glasa	Glacé (Arg.)
Guindilla	Chile, Chile picante, Ají picante
Guirlache	Crocante
Guisante	Arveja (Arg., Chil.), Chícharo (Per.), Alverja, Petit pois, Poroto

H

Habichuela	Judía, Alubia, Fríjol (Chil.)
Hervir	Salcochar
Hierbabuena	Hierba Santa, Menta, Huacatay (Per.)
Hojaldre	Hojaldre, Hojaldra, Milhojas (Arg.)

J

Jamón	Pernil
Jarrete	Zancarrón, Corvejón, Garrón
Judía	Alubia, Fríjol, Habichuela, Poroto
Judía blanca	Alubia, Faba, Fásol, Fréjol (Méx., Per.), Trijol, Frísol, Frisuelo, Poroto (Arg., Méx.), Habichuela
Judía verde	Chaucha (Arg.), Bajoca, Vaina, Poroto verde (Chil., Per.), Chancha, Ejote, Vainita

L

Lardo	Tocino
Lata	Bote, Pote
Lechal	Corderito
Lechón	Cochinillo, Lechoncito
Lengua de buey	Lengua de res (Méx.)
Lenguado	Suela
Ligar	Espesar (Méx.), Trabar
Limón	Citrón, Acitrón (Per.)
Lomo	Solomillo
Loncha	Escalope, Lonja, Chulla, Feta (Arg., Chil., Per.)
Longaniza	Embutido, Salami
Lubina	Róbalo

M

Macarrón	Mostachón
Macerar	Marinar
Manos de ternera	Pata de ternera (Arg.)
Manteca de cerdo	Grasa de cerdo, Lardo
Mantequilla	Manteca (Arg.)
Masa	Mezcla, Pasta
Mazorca de maíz	Choclo (Arg., Chil., Per.), Elote, Cenacle, Cenancle
Mejillón	Cholga (Arg.), Choro (Chil., Per.), Chorito (Chil., Per.), Moule, Ostión
Mejorana	Sampsuco
Melocotón	Durazno (Arg., Chil.), Damasco (Méx.)
Menta	Hierba buena
Menudillos	Menudencias
Merengue	Besito (Arg., Chil., Per.)
Merluza	Corbina
Molleja	Chachuela
Montar	Subir (Méx.)
Mostaza	Mostazo, Jenabe
Mújol	Míjil (Arg., Chil., Per.), Lisa (Arg., Chil., Per.), Liza, Cachampa, Cabezudo, Lebrancho

N

Nabo	Coyocho
Napar	Salsear (Arg.)
Nata (postre)	Cacuja, Chantilly, Crema batida
Níspero	Acerola

Ñ

Ñora	Ají muy picante, Chile picante, Pimiento, Pimentón

P

Paletilla	Omoplato
Pan de molde	Pan inglés, Pan sandwich, Pan cuadrado
Pan rallado	Chapelure, Pan molido
Pápikra	Pimentón
Parrilla	Biftequera (Per.)
Pasapurés	Prensapapas
Pasta	Atole, Mezcla (Arg., Chil., Per.)
Patata	Papa (Arg., Chil., Per.)
Pato	Ánade, Parro, Carraco
Pavo	Cuchimpe, Clumpipe, Guajalote (Méx.), Pavita, Mulito
Perifollo	Perejil chino
Pescadilla	Merluza pequeña
Picadillo	Pino, Relleno, Recado
Picar	Martajar
Pimentón	Chile poblano
Pimienta	Pebre
Pimiento	Ají (Arg., Chil., Per.), Chile (Chil., Per., Méx.), Chiltona, Chiltipiquín, Conguito, Chile rojo
Piña americana	Ananás
Pistacho	Alfóncigo, Pistache (Méx.)
Plátano	Banana, Banano, Cambur
Pomelo	Pamplemusa, Toronja (Arg., Chil., Per.)
Popleta	Pulpeta, Niños envueltos (Arg.)
Puerro	Porro, Poro, Porrón, Ajopuerro (Arg.)
Pularda	Polluela (Chil.), Pollita (Arg.)

R

Rape	Pejesapo, Raspado
Rehogar	Ahogar
Relleno	Farsa, Picadillo, Recado (Chil.), Pino (Chil.)
Remolacha	Beterraga (Chil., Per.), Betabel, Teterrave
Requesón	Cuajada
Róbalo	Lubina
Rodaballo	Turbot
Rodaja	Torreja (Arg., Chil., Per.), Rodela
Rodillo	Palo de amasar (Arg.), Uslero (Chil.), Palote (Arg., Chil., Per.)
Roux	Rojo, Rubio, Tostado

S

Sábalo	Alosa, Arencón
Salchicha	Moronga, Chorizo
Salchichón	Salame (Arg., Chil., Per.), Salamí
Salmonete	Bardo de mar, Trilla, Trigla
Salsa de tomate	Tomaticán (Per.)
Saltear	Saltar (Méx.)
Sazonar	Aderezar, Condimentar
Sofreír	Saltar (Méx.)
Solomillo	Lomito (Arg.), Filete de lomo (Arg.), Solomo (Méx.), Lomo, Diezmillo (Arg., Chil., Per.), Entrecote, Filete
Sorbete	Nieve (Méx.)

T

Tamiz	Cedazo, Jibe, Cernidor (Arg., Chil., Per.)
Tarta	Pie
Ternera	Becerra, Mamón (Árg., Chil.), Novilla (Méx.), Chota, Jata, Vitela
Tocino	Panceta (Arg., Chil.), Unto, Lardo, Bacón, Murceo, Cuito (Per.)
Tomate	Jitomate (Méx., Per.)
Tordo	Estornino, Zorzal
Tórtola	Mucuy
Torrija	Torreja (Méx.), Rodaja
Tostón	Torrado
Tripa	Mondongo (Arg.), Chinculines (Arg.), Guatitas (Chil.)
Trufa	Criadilla de tierra
Tuétano	Médula, Caracú (Arg.)

U

Untar (un molde)	Empavonar, Engrasar (Arg., Chil.), Embetunar (Chil), Enmantecar (Arg., Chil., Per.)

V

Vieira	Venera, Concha de peregrino

Z

Zanahoria	Azanoria

GLOSARIO

A

Ablandar: Romper las fibras duras de la carne golpeándola con un mazo o adobándola en un líquido ácido. También cocer lentamente las hortalizas en agua hasta ablandarlas, pero sin dorarlas.

Al dente: Palabra italiana que significa «al diente» describe las hortalizas o la pasta cocida que ofrecen una ligera resistencia al morderlas.

Aliñar: Condimentar, sazonar una preparación, por ejemplo una ensalada con salsa vinagreta.

Amasar: Técnica para aplastar y doblar una pasta hasta que esté compacta y homogénea. Al amasar se estira el gluten de la harina, aportando elasticidad.

Aromática: Cualquier especia o hierba (albahaca, comino, romero) que imparte sabor y fragancia a los alimentos.

B

Baño María: «Baño de agua» que se prepara colocando una cacerola o cuenco con alimentos sobre un recipiente más grande de agua hirviendo. Se puede hacer en el horno o sobre el fuego. Poner a calentar platos delicados, como por ejemplo salsas, en el que han de conservar el calor o calentarse lentamente. El recipiente con la preparación se coloca de forma que no toque el fondo. El agua no ha de hervir.

Blanquear: Sumergir frutas u hortalizas en agua hirviendo después en agua helada para parar la cocción, desprender sus pieles, fijar su color y extraer los jugos amargos. Este proceso también reduce la sal en el tocino salado y otras carnes curadas.

Brasear: Dorar los alimentos en grasa, para después cocinarlos tapados en una pequeña cantidad de líquido aromatizado a fuego lento y durante largo tiempo.

C

Caldo: El líquido aromático obtenido cuando los alimentos se cuecen en agua a fuego lento.

Caramelizar: Proceso de calentar el azúcar hasta que se licua y transforma en almíbar; el color varía del dorado al marrón oscuro. El azúcar también se puede caramelizar espolvoreando sobre los alimentos y poniendo éstos debajo del grill hasta que el azúcar se derrita (como la crema quemada). Este término también se aplica a las cebollas y los puerros salteados en grasa.

Cáscara: La piel coloreada de los cítricos, sin la membrana blanca.

Cocer a fuego lento: Cocer los alimentos en un líquido por debajo del punto de ebullición; la superficie del líquido más que burbujear se agita suavemente.

Cocer al vapor: Cocer un alimento sin que éste se ponga en contacto con el líquido.

Compota: Mezcla de frutas que se cuece lentamente, generalmente en un almíbar de azúcar con especias o licor.

Cubrir: Cubrir los alimentos con una capa exterior de, por ejemplo, harina, huevos batidos, pan rallado, mayonesa o glaseado.

D

Desmenuzar: Separar los alimentos en trozos pequeños con un tenedor. También separar los alimentos cortándolos en tiras finas con un cuchillo, macheta o rallador.

Dorar: Tostar un alimento en grasa, animal o vegetal, para que los ingredientes adquieran un color dorado, como es el caso de la cebolla.

E

Empanar: Pasar primero por harina, luego por huevo y finalmente por pan rallado los alimentos.

Enriquecer: Añadir crema de leche o yemas de huevo a una salsa o a una sopa, o mantequilla a una pasta para aportar textura y sabor.

Entrecote: Palabra francesa que significa «entre las costillas». Este corte tierno de buey o ternera se suele asar a la parrilla o saltear.

Escaldar: Sumergir brevemente en agua salada hirviendo verduras o setas para quitarles sabores desagradables o impurezas, o para poder quitar mejor las pieles o cáscaras.

Escalfar: Cocer en un líquido por debajo del punto de ebullición. Cocer alimentos lentamente sumergiéndolos en un líquido sin que éste llegue a hervir (agua, almíbar de azúcar, alcohol) justo antes del punto de ebullición.

Escalope: Loncha fina de carne, ternera, pollo o pescado.

Espesante: Elemento que se utiliza para espesar (por ejemplo yema de huevo, harina, etc.).

F

Flamear: Prender un licor, generalmente para conseguir una espectacular presentación en la mesa. También se hace para quemar el contenido de alcohol de un plato.

Fondue: Palabra francesa que significa «derretir» y que se refiere a los alimentos cocinados en un recipiente para fondue, sobre la mesa. Tradicionalmente, se sumergen dados de pan en queso derretido; otras variantes introducen carne en aceite caliente (fondue bourguignonne) y dados de bizcocho en chocolate derretido.

Forrar: Cubrir un molde con mantequilla, aceite y/o harina y papel de hornear para evitar que la preparación se pegue. También se pueden utilizar alimentos como lonchas de tocino, hojas de espinacas y bizcochos de soletilla.

Fumet: Caldo aromatizado que se prepara generalmente con las espinas del pescado, habitualmente blanco, aunque algunas veces también se prepara con caza, y que se utiliza para aromatizar líquidos de sabor suave. Se utiliza frecuentemente en la cocina francesa clásica.

G

Glasear: Cubrir los alimentos con un líquido poco denso (dulce o salado) que queda liso y brillante al solidificarse. Se puede hacer con un caldo reducido (áspie), con confitura derretida, yema de huevo o chocolate. También se refiere a los caldos de carne o pescado muy reducidos.

Gluten: Proteína que se encuentra en la harina y que aporta elasticidad. La harina con alto contenido en gluten es la mejor para el amasado del pan. La harina de bajo contenido en gluten, como la que se utiliza en los bizcochos, es más blanda y menos elástica.

Gratinar: Calentar un plato al horno o bajo el grill a fuego vivo para que tenga una costra marrón por encima.

Guarnición: Acompañamiento o aderezo de plato. Ésta determina la mayoría de las veces el nombre del plato.

H

Hervir: «Llevar a ebullición», significa calentar un líquido hasta que empiezan a salir burbujas que rompen la superficie (100 °C). Hervir también significa cocer los alimentos en un líquido hirviente.

Hojaldre: Envoltorio de pasta de hojaldre para rellenar.

Hornear: Cocinar los alimentos en el horno. Para obtener mejores resultados, es mejor utilizar un termómetro para horno; la mayoría de los hornos alcanzan temperaturas diferentes a las que marca el indicador del horno.

I

Incorporar: Amalgamar una mezcla ligera y etérea con una más pesada. La más ligera se pone sobre la más pesada y con una cuchara metálica grande o una espátula de goma se hacen suaves movimientos en forma de ocho, de forma que ambas mezcladas se unan sin perder aire.

J

Jugo: Jugo de carne o fondo de un asado, fondo marrón.

Juliana: Cortar los alimentos en tiras finas. Se suelen cortar así las hortalizas o trufas que sirven como adorno o acompañamiento.

L

Levadura: Sustancia que se utiliza para levar las pastas y para aumentar el volumen de las preparaciones horneadas. Para el pan, la más común es la levadura fresca o de panadero; para los bizcochos, la levadura en polvo o química y el bicarbonato.

Ligazón: Mezcla de yema de huevo y crema de leche que se utiliza para espesar salsas, sopas y guisos. Para que no se corte, hay que retirar el recipiente del fuego poco antes de servir el plato.

M

Macerar: Remojar los alimentos en un líquido, generalmente alcohol o licor, para ablandar su textura e impartirles sabor.

Marinada: Líquido compuesto de hierbas y especias (vino, zumo de limón, vinagre, leche agria o suero de mantequilla) para conservar y ablandar la carne y el pescado.

Masa: Mezcla cruda para crepes, tortas y bizcochos. Puede ser espesa o líquida. También se utiliza para describir la cobertura de los alimentos que van a freírse, como el pescado.

Mechar: Insertar tiras de grasa (generalmente de cerdo) en trozos magros de carne, para proporcionar un sabor más jugoso y suculento.

Medallón: Trozo de carne pequeño y redondo, generalmente tierno y magro, que necesita un tiempo de cocción muy corto.

Meunière: Término francés para describir un plato cocinado en mantequilla, sazonado con sal, pimienta y zumo de limón, y decorado con perejil.

Montar: Preparar un plato para servir, dar una forma determinada a un alimento y servirlo adornado o decorado estéticamente. Batir una salsa o sopa con mantequilla.

Mousse: Preparación ligera, dulce o salada, de ingredientes batidos y mezclados (crustáceos, pescados, carnes o aves). Muchas veces se pone dentro de un molde decorativo y se suele servir desmoldado frío o caliente.

P

Paisana: Mezcla de hortalizas (generalmente patatas, zanahorias, nabos y col) generalmente cortadas en pequeñas formas geométricas. Se suele utilizar para adornar sopas, carnes, pescados o tortillas.

Pasta: Mezcla de harina y agua, que normalmente lleva más ingredientes, trabajada hasta que esté lo bastante compacta para mantener la forma, pero lo suficientemente maleable para amasarla a mano. También alimentos finamente molidos hasta conseguir una textura extremadamente fina; por ejemplo, pasta de almendras.

Paté: Mezcla fina de textura gruesa que se suele preparar con carne y/o hígado, hortalizas o pescado, sazonada o especiada y puesta en un molde.

Pinchar: Agujerear los alimentos para que desprendan aire o jugos durante la cocción. La piel de pato se pincha antes de cocinarla para que suelte la grasa.

Puré: Alimentos que han sido batidos o tamizados para formar una especie de papilla. Para hacerlo, normalmente se utiliza una batidora eléctrica, pero también se puede utilizar un pasapurés o un tamiz para obtener el mismo resultado.

R

Ragú: Plato de pescado, carne, verdura, conchas o mariscos troceados y espesado con una salsa bien condimentada. Se utiliza también como relleno.

Raspas/Carcasa: Esqueleto de crustáceos, pescados y aves.

Reducir: Hervir líquidos tales como fondos, sopas o salsas para conseguir que se concentren y queden espesos. Al hervir rápidamente en un recipiente destapado el líquido se evapora y se obtiene un sabor más concentrado.

Rehogar: Guisar en poco líquido, y en los propios jugos de los alimentos.

Rociar: Mojar con una cuchara o pincel los alimentos durante la cocción con caldo, grasa o su fondo de cocción, da sabor y los deja más jugosos.

Royal: Guarnición para sopa a base de huevo, leche, sal y nuez moscada. Se bate y cuece al baño María. Al cuajar se corta en cubitos que se añaden a la sopa.

S

Saltear: Freír rápidamente trozos de carne, pescado o ave.

Sofreír: Poner a freír en aceite sin que el alimento tome color.

Suprema: Plato realizado con las mejores partes del animal, preparado de un modo especialmente fino.

T

Tamizar: Pasar ingredientes secos a través de un tamiz para que los trozos más grandes se queden en él y separados del polvo fino. Se suele hacer frecuentemente al preparar masas y pastas para airear los ingredientes.

Terrina: Molde o la preparación que contiene. Suele ser una mezcla de varios ingredientes parecida al paté.
Trinchar: Cortar las piezas que se cocinan enteras para servirlas en los platos.
Tronco: Término que se utiliza para describir el filete de un pescado plano grande.

Kilogramos	Gramos	Onzas	Libras
1	1.000	35,3	2,20
0,001	1	0,035	0,0022
0,0283	28,3	1	0,0625
0,453	453	16	1

1 onza .... 38,35 gramos
1 libra .... 453,6 gramos
1 kilo .... 2,2 libras
1 libra .... 16 onzas
1 gramo .... 0,0353 onzas